O LIVREIRO DO ALEMÃO

Otávio Júnior

O LIVREIRO DO ALEMÃO

13ª impressão

Panda Books

© Otávio Júnior

Direção editorial
Marcelo Duarte
Patth Pachas
Tatiana Fulas

Gerente editorial
Vanessa Sayuri Sawada

Assistentes editoriais
Henrique Torres
Laís Cerullo

Assistente de arte
Samantha Culceag

Projeto gráfico e diagramação
Alex Yamaki

Capa
Sérgio Campante

Preparação
Ronald Polito

Revisão
Carmen T. S. Costa
Alessandra Miranda de Sá

Impressão
Loyola

CIP-BRASIL. CATALOGAÇÃO NA FONTE
SINDICATO NACIONAL DOS EDITORES DE LIVROS, RJ

Júnior, Otávio
O livreiro do Alemão/ Otávio Júnior. - São Paulo: Panda Books, 2011. 80 pp.

ISBN: 978-85-7888-103-0

1. Otávio Junior. 2. Otávio Júnior – Livros e leitura. 3. Ler é 10 - Leia favela (Projeto). 4. Alemão, Morro do (Rio de Janeiro, RJ) – Condições sociais. 5. Penha, Morro da (Rio de Janeiro, RJ) – Condições sociais. 6. Crianças pobres – Livros e leitura. 7. Incentivo à leitura – Rio de Janeiro (RJ). 8. Livros e leitura – Rio de Janeiro (RJ). I. Título.

10-0003
CDD: 923.6
CDU: 929:364.4-053.2

2025
Todos os direitos reservados à Panda Books.
Um selo da Editora Original Ltda.
Rua Henrique Schaumann, 286, cj. 41
05413-010 – São Paulo – SP
Tel./Fax: (11) 3088-8444
edoriginal@pandabooks.com.br
www.pandabooks.com.br
Visite nosso Facebook, Instagram e Twitter.

Nenhuma parte desta publicação poderá ser reproduzida por qualquer meio ou forma sem a prévia autorização da Editora Original Ltda. A violação dos direitos autorais é crime estabelecido na Lei nº 9.610/98 e punido pelo artigo 184 do Código Penal.

FSC
MISTO
Papel | Apoiando o manejo florestal responsável
FSC® C008008

Aos meus pais, grandes incentivadores.

A todas as crianças das periferias do Brasil, em especial as dos Complexos da Penha e do Alemão.

Também para Ricardo Gomes Ferraz, que transformou sua casa localizada numa favela do mangue, no Recife, na Livraria Guardiã, único espaço de leitura da comunidade. Uma inspiração!

Sumário

Apresentação 9
1. O primeiro livro 17
2. Um livro à luz de velas 21
3. *O jardim secreto* 27
4. Tá vendendo picolé? 35
5. O meu anjo da guarda 43
6. Ler é 10 – Leia favela 49
7. Na corda bamba 59
8. Dormindo com Lygia Bojunga, Ruth Rocha e Ziraldo 63
9. Guerreiro da literatura 67
10. Onde estará *Don Gatón*? 71
    Epílogo: A libertação 75

APRESENTAÇÃO

As 25 crianças estavam sentadas na lona azul e nas duas esteiras de praia que estendi no chão de uma sala de aula do Espaço Ibiss, na Vila Cruzeiro. A Vila Cruzeiro é uma comunidade do Rio de Janeiro famosa pelo histórico de violência e por ser onde nasceu o jogador Adriano "Imperador". Tinha acabado de contar uma história para as crianças e agora todas estavam entretidas com os livros distribuídos para leitura. Acho que poucos ouviram o primeiro tiro. Mas o estampido me deixou preocupado. Os tiros foram se sucedendo e as crianças começaram a ficar apavoradas. Olhavam, assustadas, para os lados e pela janela.

– Olha o caveirão! – alguém gritou lá de fora.

Era o carro blindado da PM que estava se aproximando. Tive de interromper a leitura e levei as crianças para um lugar mais seguro. Nem deu tempo de recolher os livros.

Os confrontos foram se repetindo naquele ano de 2007. Não conseguia mais reunir os garotos. Nenhuma mãe queria ver os filhos fora de casa e o meu projeto Ler é 10 – Leia favela ficou ameaçado de acabar.

Quem mora ali no morro sabe que há medo, há angústia, há desespero. Mas também há um desejo enorme de superação. Superar a violência, superar o preconceito de morar num dos locais mais violentos do Rio de Janeiro, superar a falta de perspectivas. O Complexo do Alemão tem uma população de 140 mil pessoas e abrange 20 comunidades. São 14 grandes favelas na zona Norte da cidade, que ganharam o nome da maior delas. Eu nasci e moro até hoje no Morro do Caracol, no Complexo da Penha (vizinho do Complexo do Alemão), uma dessas 14. A Vila Cruzeiro é outra delas. Vejo homens armados por todos os lados, já tive amigos aliciados por criminosos, e uma bala perdida invadiu a minha casa, deixando uma marca na parede em cima da minha cama. O que nunca vi foram cadáveres.

Naquele maldito ano de 2007, os conflitos ficaram acirrados. Era bala pra cima, bala pra baixo. Fiquei sem sair de casa vários dias. Por ironia, foi o período em que mais produzi. Escrevia, escrevia, escrevia para esquecer a tensão. Escrevia para não morrer sufocado.

De todos os morros do Rio, o Alemão era considerado aquele com maior ausência do poder público. Meu bairro foi construído sobre a Serra da Misericórdia. Ele faz vizinhança com Ramos, Inhaúma, Olaria e Bonsucesso. Na década de 1920, um imigrante polonês chamado Leonard Kaczmarkiewicz comprou terras aqui. Nessa época, um curtume (lugar em que se processa o couro dos animais) foi aberto ali e várias famílias de operários se instalaram no local. Sem entender a língua dele, os operários passaram a tratá-lo como "Alemão". Por isso é que a área ganhou o nome de Morro do Alemão. Poderia ter sido Morro do Polonês... A área começou a ser invadida em 1951, quando Kaczmarkiewicz loteou o terreno para vendê-lo em partes.

Eu nem era nascido quando o tráfico de drogas começou a ganhar força no Rio de Janeiro. O que eu sei é que uma das primeiras favelas a ser dominada pelo tráfico foi justamente a do Morro do Alemão, junto com a da Mangueira e a do Jacaré, na década de 1970. O Brasil virou rota da droga que saía dos países da América do Sul em direção à Europa. Havia uma oferta grande, e os bandidos, que antes assaltavam bancos, descobriram na cocaína um mercado mais lucrativo. Por isso, o negócio cresceu tão depressa. Mas ninguém fica contando essas histórias por aí. É como se a droga já fizesse parte do nosso cotidiano desde sempre. Nasci com ela disseminada por todos os cantos. Na favela, todas as crianças conhecem desde cedo a gíria do pessoal, que é "fica ligado".

O que assusta de verdade quem mora aqui é o aumento da violência. Nos anos 1990, os grupos armados começaram a brigar entre si pelos melhores pontos de venda. Eles se armavam para enfrentar as outras gangues. Viravam pequenos exércitos. Para revidar, o outro grupo precisava ficar mais forte, com armas mais potentes. É isso que os jornais chamam de "guerra do pó". Mesmo presos, alguns chefões continuavam dando ordens de dentro da cadeia. O Estado sempre demorou muito a agir. De vez em quando, as favelas são invadidas pela polícia. Numa dessas megaoperações, em 2007, a polícia invadiu o Alemão e matou 19 pessoas. Houve muitas críticas à ação dos policiais.

Dentro das comunidades, alguns traficantes mantêm certo assistencialismo em troca de respeito. Dão presentes para as crianças (nunca livros!), compram botijões de gás para as famílias, ajudam com material de construção para os barracos. Por isso, a delação é o maior dos pecados que um morador pode cometer. É sinal de ingratidão com seu "benfeitor". O delator é chamado de "X-9" na gíria da favela. Quando isso acontece sua morte é sentenciada – sim, ele será executado com requintes de crueldade. Precisa servir de exemplo.

Em 2008, o governo criou um negócio chamado UPP (Unidade de Polícia Pacificadora) para trazer a polícia para dentro da favela. Começou no Morro Santa Marta, na zona Sul. Era uma tentativa de brecar o domínio territorial dessas gangues. Outras 12 favelas também receberam suas UPPs. Com a chegada das Unidades, os serviços sociais nas comunidades beneficiadas aumentaram. Preocupados com a chegada da polícia, as gangues armadas partiram para o ataque numa onda de violência que abalou o Rio de Janeiro e fez eco em todo o mundo. Tudo isso aconteceu em novembro de 2010, um mês para entrar para a História.

Mas, ao contrário do que muita gente imagina, eu amo a minha vida aqui. Posso dizer que tive uma infância feliz e que hoje me sinto realizado ao fazer um trabalho de incentivo à leitura com gente da minha comunidade. Sei, por experiência própria, que as crianças daqui têm uma visão muito estreita do mundo. Quase não saem da favela. Tudo é perto. A escola, a igreja, o campo de futebol, o mercadinho, as ONGs. Muitas nem conhecem a praia. Ficam presas aqui dentro. Foi a leitura que me libertou dessa prisão. Tudo isso me levou a receber o Prêmio Faz Diferença, do jornal *O Globo*, em dezembro de 2008. A reportagem também estampou o apelido pelo qual muita gente me identifica hoje em dia: "O Livreiro do Alemão". Uma história que começa no meio de um monte de sacos de lixo.

Otávio Júnior

1
O PRIMEIRO LIVRO

Era uma vez um menino de oito anos. Como a história é minha, eu queria que ela começasse com "era uma vez". Todas as manhãs, eu, minha mãe, Joana D'Arc, e minha irmã, Jucilene, então com cinco anos, íamos até a igreja, que ficava a seis quadras de casa. Descíamos uma pequena escadaria e virávamos à direita. Estava de bermuda, camisa e sapato. O culto durou aproximadamente uma hora, como de hábito. No caminho de volta, eu sempre dava um jeito de desviar pelo campinho de futebol. Os "donos do campo" já estavam lá. Quando a turma de 16, 17 anos chegava, as crianças tinham de sair imediatamente. A senha era sempre a mesma. Um deles chutava a bola para o alto com muita força e anunciava:

– Acabou o juvenil!

As crianças, incluindo eu, saíam correndo na mesma hora. Só nos era permitido ficar na beirada, vendo o jogo.

Naquela manhã, os grandões estavam jogando. Era difícil ver a bola dente de leite, velha e surrada. De tão gasta, ela já tinha perdido os desenhos que imitavam gomos pretos. Tinha a mesma cor da terra do campo.

O entorno era um grande depósito de lixo. Não havia serviço de coleta na comunidade. Todo o lixo era queimado ali mesmo. Para não invadir o terrão, fui caminhando pela sujeira. De repente, vi uma caixa cheia de brinquedos quase novos. Devo ter dado um grito de surpresa, de espanto, alguma coisa assim. Esse foi o meu erro. Todos que estavam em volta do campo ouviram e correram em minha direção. Os brinquedos só podiam ser de um menino com melhores condições de vida, que morava no pé do morro. Deu tempo apenas de pegar o livro que estava ali: *Don Gatón*. Não sei como explicar, mas tive olhos apenas para o livro, e não para os brinquedos, que foram rapidamente atacados. Depois da "batalha", levei aquele exemplar como um troféu para casa. Estava começando a viver ali o meu conto de fadas. (Entendeu por que a minha história tinha mesmo que começar com um "era uma vez"?)

2
UM LIVRO À LUZ DE VELAS

Naquele mesmo dia, no começo da noite, uma chuva muito forte acabou com a luz no morro e em nossa casa. Minha mãe acendeu duas velas, suficientes para iluminar o único cômodo que servia de sala, quarto e cozinha. Ficamos sem o capítulo da novela *Vamp*, com o Ney Latorraca, em nosso pequeno televisor em preto e branco. Lembrei do livro, que estava guardado numa pilha com os meus cadernos de escola. Fiquei encantado com as ilustrações de *Don Gatón*, que corria com linguiças pela casa. Lia e ria. Fui dormir abraçado ao livro, na mesma cama em que estavam meu pai, minha mãe e minha irmã. Morávamos em um quarto e sala. Estava maravilhado. Passei uma semana com ele para cima e para baixo. Até que decidi que queria outros. Comecei a pedir livros emprestados a vizinhos.

O primeiro a atender aos meus apelos foi o Tiago, um amigo que colecionava histórias em quadrinhos. Tiago é hoje formado em Biologia. Ele me emprestou gibis da Turma da Mônica e da Disney. Outros amigos fizeram o mesmo. Cheguei a receber uma bíblia mórmon e um manual de proprietário de Passat 1980. Voltava toda hora ao campinho para ver se encontrava novos livros. De tanto mexer no lixo, alguns amigos começaram a me chamar de "Xepa". Não importava. O que eu queria era ler. Lembro até o dia em que meu pai chegou em casa com um mapa do Brasil enorme, que ele havia trazido do trabalho. Fiquei decorando os nomes das cidades, das capitais, das estradas, das ferrovias. Comecei a imaginar as viagens que faria (e os livros já me levaram a muitos desses lugares!). Ganhei também dois exemplares antigos de Monteiro Lobato: *Reinações de Narizinho* e *As caçadas de Pedrinho*, ambos de 1965. Como não tinha um quarto só para mim, o jeito era guardar essas relíquias no armário compartilhado que tínhamos na sala. Aquele armário se tornou mágico.

* * *

Adorava os livros, mas sempre soube conciliar outras diversões. Continuava a ver TV. Curtia seriados de heróis japoneses, como Jaspion, Jiraya, Changeman, Jiban e Os Cavaleiros do Zodíaco, o assunto preferido da molecada na escola. Quem não visse essas séries não teria assunto na entrada ou no recreio do dia seguinte.

Até pichador eu fui. Durante seis meses, deixei a minha marca em muros das redondezas. Assinava como "Xepa". É, assumi o apelido que tinham me dado...

Futebol era outra grande paixão. Decidi que seria torcedor do Vasco da Gama quando vi o Sorato carregando um troféu em forma de caravela na final do Campeonato Brasileiro de 1989. Um amigo até tentou me converter em flamenguista, mas o plano dele só durou três dias. No recreio da escola, nós fazíamos bolinhas com sacos plásticos de biscoito de polvilho Frank. No campinho, todos me conheciam como "Juninho", embora eu já fosse um "galalau" de 1,70 metro aos 16 anos. Virei o melhor goleiro do bairro. Era a sensação da Penha. Não tinha dinheiro para comprar luvas e defendia assim mesmo, à queima-roupa. Meu ídolo era o Carlos Germano, goleiro vascaíno. Até fui convidado para jogar entre os maiores, os "donos do campo".

– Acabou o juvenil! O Juninho pode ficar... O resto *rala peito*!

Tinha sido promovido de categoria. Mais do que saber jogar, o que os grandes esperam é que você também seja corajoso e não fuja se a chapa esquentar. Saber brigar é uma autodefesa de quem vive numa comunidade.

No dia em que assisti a uma reportagem sobre a visita do presidente norte-americano Bill Clinton à Vila Olímpica da Mangueira, em 1996, resolvi que iria jogar bola lá. Combinei com um amigo, mas ele não apareceu no dia. Fui sozinho. Até ônibus errado eu peguei. Consegui uma vaga no time de futebol. Depois disso comecei a treinar todos os dias. Até os motoristas dos ônibus já me conheciam de tanto pedir carona...

3
O JARDIM SECRETO

Seriados de TV, futebol, pichação, bola de gude, pião. Como foi que tudo isso não roubou o espaço que os livros começaram a ter na minha vida? Agradeço a uma professora maravilhosa que apareceu quando eu ainda estava na segunda série. Ela se chamava Maria Luzia Cunha. Baixinha, forte, cabelo loiro curto e óculos. Era muito exigente. Queria que todos nós conseguíssemos entrar na Escola Militar ou no Pedro II, os dois melhores colégios públicos do Rio de Janeiro.

Senti que ela implicava comigo nos primeiros meses, embora eu tirasse boas notas (menos em Matemática). Certo dia, ela disse que "era dia de biblioteca". Lá fomos nós para a sala que ficava ao lado do refeitório, perto do pátio em que formávamos as filas para entrar na sala de aula. A biblioteca da Escola Municipal Monsenhor Rocha era pequena, tinha apenas uma mesa e uma quantidade razoável de livros velhos em estantes de ferro. Éramos trinta alunos, todos amontoados. A surpresa que ela nos reservou para aquela tarde era ver o filme *O jardim secreto*. Alguns amigos detestaram, mas eu fiquei encantado. Ali estava desenvolvendo a minha sensibilidade. Chorei com a cena em que o jardim ganhava vida de novo. Acho que foi aí que ela percebeu que eu gostava de ler e passou a me incentivar. Eu era o único que tinha autorização de levar dois livros por vez para casa.

Foi assim que continuei lendo feito louco, ano após ano. De tanto ler, bateu a vontade de me tornar escritor também. Por coincidência, nasci em 26 de julho, um dia depois da data em que se festeja o Dia do Escritor. Quando terminei de ler *Enigmas dos chimpanzés*, peguei o endereço da editora no livro e enviei uma carta para o autor, Rogério Andrade Barbosa. Na verdade, foram três. Ele não respondeu a nenhuma delas. Descobri o endereço dele na lista telefônica, criei coragem e fui até lá, no bairro da Glória. Estava em busca de um mestre, como no filme *O talentoso Ripley*.

Eu me apresentei como "Otávio, aspirante a escritor". Rogério me atendeu com simpatia. Conversamos por quase duas horas na sala de visitas do apartamento dele. Falei sobre as minhas três cartas e ele me apontou a pilha de correspondência que recebia todas as semanas – uma das minhas, de fato, estava lá. Mostrei algumas redações que tinha feito para a escola. Rogério foi muito sincero. Disse que tinham um "olhar infantil" e que era "muito cedo para eu tentar a carreira de escritor"; eu tinha apenas 18 anos. Hoje até entendo o que ele quis dizer (Rogério tornou-se meu conselheiro literário). Mas, naquele momento, eu só queria ouvir palavras de incentivo. Nada poderia abalar o meu sonho de me tornar escritor. Foi neste momento que meu pai acabou abalando toda a minha família...

* * *

Meu pai, Otávio, sempre foi um cara exemplar. Dava amor, carinho, atenção. Trabalhava como metalúrgico numa empresa que fazia barras para caçambas de picapes. Nos fins de semana, fazia bicos como pedreiro e pintor. Eu costumava acompanhá-lo e tinha o papel de ajudante. Só levava bronca quando ficava lendo os jornais que ele estendia para não cair tinta no chão. Meu pai sempre me dava um dinheirinho por ajudá-lo.

Bebia um pouquinho às sextas, sábados e domingos. Gostava de pinga e de cerveja. Saía com ele e pedia uma coxinha e um refrigerante de garrafa. Foi doloroso para todos nós quando ele passou a beber cada vez mais e todos os dias. Meu pai tinha virado um alcoólatra. Vivi dias e dias de pesadelo. Várias vezes tivemos que sair às 11 da noite, meia-noite, para ir procurá-lo em algum bar. Tratava minha mãe e a mim com agressões verbais e físicas. Mandou que eu jogasse fora todos os livros que havia juntado. Só aliviava com minha irmã. Comecei a "fugir" de casa. Saía às oito da manhã para treinar e fazia de tudo para voltar o mais tarde que pudesse.

A violência doméstica é o que mais faz as crianças procurarem a rua. Tive muitos amigos que viveram essa situação. Elas apanham e querem ficar longe de casa. Começam a alternar a escola com a rua. Depois abandonam a escola e ficam só na rua. São presas fáceis, ainda mais porque a ausência da figura paterna é muito grande. Poderia ter acontecido comigo. Ainda bem que minha mãe segurou as pontas. Foi um período muito triste. Vivíamos apenas com o mínimo. Ela deixava de comprar roupas para ela para comprar os nossos livros de escola. Para não ver o meu pai bêbado, eu buscava refúgio em bibliotecas, sebos, livrarias. Frequentemente ia ao Museu da República; ali eu podia ficar sossegado nos jardins do palácio, lendo livros e escrevendo. O primeiro filme a que assisti no cinema foi *Mauá, o imperador e o rei*, ali no Museu.

Costumo dizer que essa foi a fase mais difícil da minha vida – dos 12 aos 18 anos. Minha mãe sempre teve muita fé e lutou pela família. Era ela quem administrava a renda da casa e nunca permitiu que eu faltasse à escola. Nunca deixou de ir a uma reunião de pais. Como ela estudou só até a quarta série, fazia questão de que eu e minha irmã estudássemos. Com a lição de casa ela não pegava no pé; confiava em mim.

Porém, minha mãe insistia em me levar até a porta da escola e me buscar no fim da aula. Eu morria de vergonha! Todos os meus amigos iam de ônibus, brincando e zoando pelo caminho. O barato era a saída da escola, às cinco da tarde, todo mundo saindo junto. Eu achava aquilo o máximo. Sonhava com o dia da minha independência... Até que esse dia chegou; eu tinha 12 anos. A sensação de liberdade foi tão grande que nem pensei duas vezes: fugi para o campinho da Vila Cruzeiro. Foi demais! Ali eventualmente tinha parque de diversão, circo, espaço para jogar futebol. Era o ponto de encontro preferido da molecada. Às vezes a gente matava aula para ir ao shopping. Lembro-me de quando fui assistir ao filme *Titanic*. Bons tempos aqueles.

Apesar de todas as dificuldades, meus pais sempre foram muito exigentes com a nossa educação. Lembro-me de estarmos sempre juntos, na sala de casa, assistindo às novelas. Eles conversavam muito com a gente – e davam várias broncas também. Mas pior do que as broncas era o café da minha mãe. Ela sempre cozinhou muito bem, e o meu prato favorito era o ensopado de frango que ela fazia como ninguém. Meu pai também cozinhava e adorava comer café com farinha de mandioca – um hábito estranho que eu nunca entendi. Demorei a descobrir por que o café lá de casa era tão ruim. O coador de pano era furado!

Morávamos num quarto e sala e dormíamos todos amontoados em uma única cama. Acho que foi essa união, esse calor humano, que fez com que a minha família sempre permanecesse unida.

4
TÁ VENDENDO PICOLÉ?

Embora sonhasse com os livros, posso dizer que comecei minha "carreira" no teatro. Eu tinha 15 anos quando fui ao teatro pela primeira vez. A peça era *Molecagens do vovô*, de Márcio Trigo.

Quando eu estava na sétima série, minha turma montou uma peça baseada no livro *A droga da obediência*, de Pedro Bandeira. Eu fui o personagem Miguel. A sensação de estar ali, sendo observado por todos, deu aquele frio na barriga... foi uma experiência e tanto. Quando a professora de História pediu para apresentarmos um trabalho sobre o Império Inca, propus aos meus colegas montarmos uma peça de teatro. Aquilo fez tanto sucesso que me tornei popular na escola – principalmente entre as meninas.

Em 1998, aos 16 anos, montei os meus primeiros espetáculos. Tudo meio mambembe. Eu dirigia as peças sem nunca ter trabalhado com teatro. Montava os cenários com caixas de papelão, isopor de caixa de geladeira nova, retalhos de tecido que ia pegando pelo caminho. Uma vez, encontrei uma caixinha de isopor no lixo e fui com ela para casa. Os meninos me zoaram: "Tá vendendo picolé na praia agora, é?". Melhor não responder. Meu dia ia chegar.

Escrevia os textos e passei a apresentar em escolas do bairro. O meu primeiro espetáculo foi *O contador de mentiras*. Cada ingresso custava 1 real. Uma diretora indicava para outra e a minha agenda foi ficando lotada. Visitava três, quatro escolas por semana. Nunca saía de casa sem a minha pasta de divulgação. Quando via uma escola, entrava e conversava com as diretoras ou as coordenadoras. Cheguei a ganhar 200, 250 reais por mês. Dava uma parte para minha mãe. Com o que sobrava comecei a ir ao teatro e ao cinema. Sobrava até dinheiro para comer um lanche na saída. Fui melhorando os cenários e os figurinos das peças. Comprei roupas para mim. Passei a ir à igreja todo pimpão, todo feliz com a roupa nova. Antes disso, tinha uma única roupa para tudo.

Lembro-me do dia em que estava descendo o morro para conversar com um amigo. Um dos garotos, que já atuava com os traficantes, me mandou parar. Ele estava rodeado de outras pessoas.

– Olha a minha roupa, é toda da Redley, e olha a sua! – apontou para o furo em minha camisa.

Geralmente são menores que vendem a droga no varejo. É assim que eles ganham dinheiro para ajudar a mãe (é incrível o número de mulheres abandonadas pelos parceiros), para comprar roupas de grifes famosas e sair com as "tchutchucas" (como são chamadas as garotas que usam roupas sensuais e dançam de forma provocante nos bailes funks), para ganhar respeito e para sustentar o próprio vício. No começo, ganham a droga porque trabalham de madrugada e precisam ficar ligados. Depois, já viciados, precisam trabalhar para "dar um teco". Há também os "fogueteiros", que ficam em entradas estratégicas dos morros e sinalizam com rojões de 12 por 1 a chegada dos "canas" ou de uma gangue inimiga. Todos se sentem mais poderosos porque desfilam pela comunidade com armas potentes. Estão ali dispostos a tudo. Já nem sei dizer quantos garotos que conheci na minha infância e adolescência estão presos ou foram mortos. Eles fizeram as suas próprias escolhas...

Prometi que um dia o rapaz da Redley veria a minha vitória. Só lamentei que ele não estivesse mais vivo quando esse dia chegou.

* * *

Se no palco tudo ia bem, não posso dizer o mesmo dos campos. Eu diria que estava na marca do pênalti, sendo obrigado a tomar uma importante decisão. Ia muito bem nos treinos do futebol. Gostava do ambiente. Mas o curso de teatro me obrigava a sair sempre correndo dos treinamentos. O treinador, Carlinhos, me chamou em um canto e mandou-me escolher: futebol ou teatro?

O teatro já me dava algum dinheiro e eu tinha certeza de que queria trabalhar com arte. Larguei o futebol.

* * *

O segundo espetáculo foi *O livro encantado*, em 1999. Um garoto (eu, quem mais?) mergulhava dentro de um livro que encontrou no lixo. Uma bruxa o perseguia e as crianças da plateia tinham de ajudá-lo a sair de lá. Era tudo inspirado na minha história. Eu fazia tudo. Até os outros personagens – como a bruxa – eram bonecos feitos com vara de pipa e retalhos de tecidos. As peças tinham no máximo meia hora de duração. Distribuía pirulitos no final. Eram tantas apresentações que resolvi largar a escola. Comecei a achar as aulas chatas. Minha mãe quis me esganar, afinal eu estava na oitava série. Por insistência dela, tentei voltar, mas não consegui. Preferia fazer curso de teatro, continuar frequentando as bibliotecas. A educação informal tem um papel muito importante nas comunidades. Os alunos mais contestadores, mais criativos, acabam largando a escola, que ainda tem baixa qualidade de ensino.

Além dos livros, eu costumava ler os jornais da biblioteca e ali comecei a ver vários cursos interessantes. Procurava o endereço das escolas de arte na Rio Listas e mandava cartas pedindo uma bolsa de estudos. Até fiquei amigo do funcionário dos correios. Toda tarde, por volta das quatro horas, eu ficava esperando o carteiro, ansioso por receber uma resposta. E não é que consegui as bolsas? Fiz curso de teatro, história em quadrinhos, literatura. Só na Casa da Gávea fiz quatro cursos: oficina de criação literária, redação de texto teatral, roteiro de cinema, interpretação teatral... Mas para conseguir a bolsa tive de fazer um teste de conhecimentos gerais, que não foi nada fácil.

* * *

Quando parei de estudar senti muita falta dos meus amigos. Hoje me arrependo de não ter me formado com eles; isso me deixa de coração partido. Infelizmente são momentos da vida que não voltam atrás. Daquele tempo restaram poucos amigos verdadeiros. Em 2004 decidi retomar os estudos, e desta vez não perderei a festa de formatura.

5
O MEU ANJO DA GUARDA

Longe da sala de aula e empolgado pelo sucesso de meus espetáculos teatrais, comecei a frequentar eventos literários e abordar os escritores. Queria que eles me dessem dicas.

Olhando para trás, vejo que fui inconveniente com alguns. Descobri onde Ziraldo morava e fui à sua casa quatro vezes. Só sosseguei quando fui atendido pelo pessoal do estúdio dele. Não faço mais isso, mas fiz muito.

Com as dicas, iniciei uma maratona para escrever histórias infantis, que eram enviadas para várias editoras. No começo, escrevia as histórias à mão. Depois, um amigo, Jorge Ricardo, que tinha computador, passou a digitar os textos para mim. Não tinha revisão. Eu tirava cópias na papelaria ao lado da escola onde estudei, comprava os envelopes e colocava um montão de cartas no correio. Pegava os endereços das editoras nos próprios livros. Quando a editora era do Rio de Janeiro, eu colocava a melhor roupa e ia entregar os originais pessoalmente. Depois de muita espera, tudo o que eu recebia eram negativas em cartas-padrão. Não, não e não. Hora de desistir?

* * *

Desencanei das editoras e passei a procurar as gráficas. Tinha em casa exemplares dos três últimos anos da Rio Listas e comecei a pesquisar os endereços. Comecei pelo centro da cidade. Passava a noite esquematizando o meu roteiro para a manhã seguinte. Saía com apenas 1 real no bolso, dinheiro suficiente para comprar um salgado e um refresco. O dinheiro que eu ganhava com as peças ajudava minha mãe em casa.

Como estudante, aqui no Rio de Janeiro, eu não precisava pagar as passagens de ônibus, ainda bem. De vez em quando, levava um pacote de biscoito com recheio de maracujá e comprava um sachê de suco de laranja para diluir numa garrafinha de plástico com água gelada.

Toquei a campainha de uma gráfica na Cinelândia. Peguei na lista o nome da dona, o que poderia facilitar o meu contato. Quem atendeu foi Cláudio Borges.

— Bom dia! Gostaria de falar com a dona Maria do Carmo!

Ele me olhou surpreso.

— Dona Maria do Carmo? Ela já morreu há alguns anos.

Fiquei muito constrangido. Acho que pedi desculpas, virei as costas e comecei a sair dali.

— O que você queria com ela, garoto? — a pergunta de Cláudio me fez interromper minha saída.

— Sou autor de livros infantis e estou à procura de alguém que queira editar meus livros.

— Mas aqui é uma gráfica.

— Eu sei. Não consigo uma editora. Por isso, estou procurando uma gráfica que queira patrocinar a edição de meu primeiro livro.

— Posso ficar com seu texto? Volte daqui a uma semana!

Entreguei a pasta azul transparente que eu trazia embaixo do braço. Todo feliz, nem imaginei que começaria ali a semana mais longa da minha vida. Foram sete dias que pareceram setecentos. Dormia e acordava pensando na minha primeira grande oportunidade. Mesmo sem ele me chamar, voltei lá depois de uma semana.

— Gostei, está legal! — disse Cláudio logo que me viu. — Você só precisa encontrar alguém para fazer uma revisão e alguém para montar e ilustrar o livro. Se conseguir, eu imprimo o livro de graça para você. É um presente.

Fui atrás da professora Jurema Silva, que conheci em uma das minhas apresentações e coincidentemente morava perto da minha casa, para fazer a revisão (infelizmente ela faleceu em 2008). Renato Carneiro, professor de quadrinhos, que eu conheci durante um curso, disse que topava fazer as ilustrações e a diagramação, mas ia demorar um tempinho. Demorou um tempão. Foram quase seis meses. Quando tudo ficou pronto, o dono da gráfica também me pediu que tivesse um pouco de paciência. Foram mais três meses de espera até o dia em que o meu livro ficou pronto. Uma verdadeira gestação! Chorei em cima da capa de *As aventuras do pássaro mágico e outras histórias*. Cláudio me entregou cem exemplares no dia 15 de maio de 2003.

* * *

"O que vou fazer com todos esses livros agora?", pensei quando saí de lá. Lembrei dos meus contatos dentro de escolas e tive a ideia de fazer lançamentos em escolas dos subúrbios do Rio. Montei uma apresentação com uma contação de histórias e alguns jogos literoteatrais. Em contrapartida, a escola compraria alguns de meus livros. A primeira que procurei foi uma em Bonsucesso. A diretora, Fátima, gostava do meu trabalho. Ela adorou o livreto e, em duas semanas, marcou a atividade. As crianças compraram alguns exemplares, me pediram autógrafos, foi uma festa só. Vendi os cem primeiros exemplares muito depressa e o Cláudio mandou fazer outros cem para me dar de presente. Outra vez de graça! O trabalho com as escolas estava dando resultado, mas eu sentia falta de fazer algo com os meninos da minha comunidade.

6
LER É 10 –
LEIA FAVELA

Graças à publicação do meu livreto, participei da Feira Literária de Paraty (Flip) pela primeira vez. Tinha apenas 50 reais e gastei 40 só para chegar à charmosa cidade a 258 quilômetros do Rio de Janeiro. Enchi a minha mochila de livros e peguei o ônibus na rodoviária. Fiquei abordando as pessoas no centro histórico e vendi trinta livros a 10 reais cada um. Consegui dinheiro para pagar um albergue e comer. Descolei ainda uma carona para voltar.

Com os 100 reais que sobraram de Paraty, em 2003 eu fui na cara e na coragem para São Paulo, tentar patrocínio para a 1ª Feira do Livro Infantojuvenil. Passei a primeira noite no Terminal Rodoviário do Tietê. O funcionário de um quiosque de lanches me viu ali parado, com cara de fome, e me ofereceu um beirute e um copão de guaraná. Até que consegui ficar na casa de uma amiga nas duas noites seguintes. Naquele mesmo ano, no mês de novembro, voltei a São Paulo, desta vez como palestrante da Feira do Livro Infantil e Juvenil & Quadrinhos. Guardo a credencial com o maior orgulho. Lembrei-me de voltar à rodoviária para agradecer àquele rapaz que tinha me oferecido o lanche, mas ele não trabalhava mais lá. Uma coisa que aprendi com meus pais é agradecer àqueles que nos ajudam.

* * *

Aquelas duas feiras mexeram muito comigo. Eu já tinha feito vários cursos, as apresentações nas escolas iam bem, mas eu precisava fazer algo na minha comunidade. Comecei a pedir livros emprestados, ganhava alguns exemplares de amigos, cheguei até a achar livro no lixo (de novo!).
Certo dia cheguei à rua de casa e chamei as crianças para ouvir as histórias. Os adultos estranharam, mas se aproximaram para entender o que estava acontecendo ali. Nesse dia eu pensei: "Vou criar um projeto de leitura na favela!".
Usei sete primos, de três a 11 anos, como meus primeiros espectadores. Todos moravam numa única vila de seis casas no Morro do Caracol. As casas ficam ao redor de um quintal, onde as mulheres põem a roupa para secar e os homens assam a carne aos domingos, de vez em quando. A meu pedido, os priminhos con-

vidaram alguns amigos e a apresentação começou a se repetir nos fins de semana, sempre com mais crianças. Contava histórias e depois deixava que eles manipulassem os livros da minha coleção. Tive que abandonar o quintal porque o barulho incomodava minha avó, já com sessenta e poucos anos.

* * *

A peça que faltava nesse meu quebra-cabeça se encaixou quando fiz o curso de empreendedorismo social em 2006 na Escola Carioca de Empreendedorismo Comunitário, próxima da Rocinha. Foi ali que senti a necessidade de ser um agente cultural em minha comunidade. Estavam bem debaixo do meu nariz a falta de movimentos culturais e de interesse das crianças da comunidade pela leitura. Começou o trabalho de parto para o nascimento do projeto Ler é 10 – Leia favela.

A livraria mais próxima de minha casa fica a 10 quilômetros. E olha que eu moro bem no pé do morro. A distância da biblioteca mais próxima é um pouco menor. Uns 3 quilômetros. Ou seja: o livro é algo distante.

Digo isso porque, na entrada de cada comunidade, há locadoras de DVDs, cheias de novidades pirateadas, e lan houses. Os bailes e as músicas de pagode e de funk são movimentos de vanguarda presentes em todos os morros. Muitas crianças crescem nesse ambiente e não têm oportunidade de experimentar outros movimentos culturais. Nunca foram ao cinema, ao teatro, ao circo.

Nos postes dá para ver as ligações clandestinas de TV a cabo. É assim que as crianças passam seu tempo livre por aqui. Mas por que não o livro também? As crianças não têm livros em casa porque seus pais também não tiveram. Os pais nunca lhes contaram histórias tiradas dos livros antes de dormir. O livro não desperta magia. Até que elas o conheçam.

Encontrei muitos garotos de 12, 13 anos que diziam não gostar de ler. Eles ficavam no canto, envergonhados. Descobri que, na verdade, não sabiam ler.

Embora 90% das crianças estejam nas escolas, o analfabetismo funcional é a grande realidade. Por seis anos tivemos no Rio de Janeiro o sistema de aprovação automática e os reflexos estão aí até hoje. Além disso, o tráfico de drogas é a referência de mundo adulto para a maioria dos jovens que moram nos morros. As boas referências estão muito longe dali. Trabalho para que as crianças não se envolvam com a criminalidade. Com a leitura eu dou uma opção de novas possibilidades e perspectivas para o futuro delas.

* * *

Entro na sala de aula de uma ONG com minha mochila cheia de livros. São quase cinquenta. Pelo estado da minha coluna no final do dia, calculo que carrego 10 quilos nas costas. Todos se sentam em roda. Começo com algo bem doce:

– A leitura é doce como esta bala!

Distribuo balas e vou lendo contos de fada e adivinhas. Um dos melhores livros para esquentar a plateia é *Adivinhe se puder*, da Eva Furnari:

– O que é o que é: vira a cabeça do homem e também da mulher? É o pescoço.

– O que é o que é: tem os dentes na cabeça? É o alho.

— O que é o que é: todo mundo tem, mas, quando você precisa, vai buscar no armazém? É a canela.

Depois é a hora em que todos podem manipular os livros. Ajudo quem tem mais dificuldade. Ensino também como cuidar de um livro. No final, todos ganham lanche, refrigerante e bolachas doces, o chamado "Lanchinho Literário". Tiro fotografias dos livros que lemos para não repeti-los na minha próxima visita.

— Amanhã vai ter de novo? — pergunta Lucas, de oito anos, cabelo raspado, brinco na orelha esquerda, unhas roídas e bastante sujas.

O meu dia está ganho!

* * *

O projeto começou a chamar a atenção da imprensa. Um jornalista da Rede Record, Bruno Pacheco, fez uma reportagem comigo para o programa Domingo Espetacular em 2003. Fiquei 2 minutos no ar e tornei-me conhecido no bairro da noite para o dia. Meus vizinhos entenderam, finalmente, o meu projeto. E não foram só eles.

Em 2006, o jornalista me apresentou ao Instituto Kinder do Brasil, organização não governamental que apoia pequenos projetos sociais. A Kinder passou a me patrocinar. Fiz inicialmente 12 sessões do "Lanchinho Literário" nas comunidades dos Complexos da Penha e do Alemão em caráter experimental. Foram momentos de intensa felicidade. Em média, trinta crianças participavam das sessões em associações de moradores, praças, escolas e sedes de ONGs. Muitas tiveram comigo o primeiro contato com a literatura. O "Lanchinho" servia de pretexto para atrair a garotada, mas muitas até se esqueciam dele quando começavam as atividades. Inventei também o "Cineminha Literário", com filmes adaptados de livros (uma forma de homenagear a minha professora Maria Luzia).

Depois do Instituto Kinder do Brasil, recebi outro importante apoio. Em 2006, participei de uma feira de equipamentos gráficos chamada Expoprint. Fui lá de curioso para entender como os livros, os jornais e as revistas são feitos. Máquinas maravilhosas. Conheci o pessoal da Associação dos Agentes Fornecedores de Equipamentos e Insumos para a Indústria Gráfica

(Afeigraf), que se encantou com o projeto e também começou a me apoiar. As boas notícias chegavam na velocidade de uma rotativa. Conheci casualmente a Cíntia Rodrigues, que na época era da Fundação Nacional do Livro Infantojuvenil, que fez uma doação de duzentos livros para mim.

Faltava só um empurrãozinho para o projeto decolar. Até que ele veio em 2006. Bem, não foi um empurrãozinho. Ali, na corda bamba, tudo o que eu não queria é que alguém me empurrasse.

7
NA CORDA BAMBA

Mandei uma carta para a produção do quadro "Agora ou nunca", do programa Caldeirão do Huck, da Rede Globo. Queria ganhar o prêmio de 10 mil reais para investir no meu projeto. Foi isso que escrevi na carta. Recebi um telefonema no dia 22 de junho. Lembro bem da data porque foi o dia de Brasil X Japão, pela Copa do Mundo da Alemanha. Estava ajudando meu pai a pintar a garagem de um prédio. Estávamos ainda lixando as paredes quando meu telefone celular tocou. Sem papel e caneta, tive de anotar o número da produção na poeira que havia em cima de um Fiat Palio. Eles marcaram a pré-entrevista para dali a dois dias. Quando viram meu perfil físico (1,74 metro e 60 quilos), decidiram que eu faria a prova da corda bamba. Teria de caminhar numa corda bamba por 8 metros. Eram duas etapas de 4 metros, com uma parada no meio.

Comecei a treinar no Aterro do Flamengo sozinho. Fiquei praticando equilíbrio. Depois passei mais uma semana na Escola de Circo por conta da TV Globo. Enfrentei treinos diários de duas horas. Muito? O professor me recebeu com um balde de água fria, dizendo que o mínimo necessário para andar na corda bamba eram três meses. Palavras pouco motivadoras, porém eu já estava acostumado a superá-las. Nunca fui de desistir. Resolvi que aprenderia a me equilibrar e foi o que eu fiz em quatro semanas. Isso me deixou bastante seguro.

Na hora da gravação, senti uma força interior tomando conta do meu corpo. Queria mostrar o meu trabalho para o Brasil inteiro. Queria encher de orgulho a minha comunidade. Não foi fácil. O ar-condicionado estava forte demais. Eu estava de bermuda, camiseta branca e chinelo. Eram duzentas pessoas na plateia assistindo (e eu estava acostumado a treinar sem ninguém). Teve um momento em que a minha perna bamboleou. O que eu mais dizia para mim mesmo ali era: "Não desista do seu sonho, Otávio, não desista". Pedia às minhas pernas que não me decepcionassem. Fui até o final da corda. (Quando revi a cena depois, constatei que tudo durou algo como 40 segundos. Na hora, parecia ter sido uma eternidade.)

Pulei de alegria, ajoelhei, chorei. Uma chuva de papel picado caiu sobre mim. Fui abraçado pela torcida feminina que me acompanhava – mãe, irmã e namorada. O Luciano Huck também veio me abraçar e não contive a emoção na hora em que ele pediu que eu falasse alguma coisa:

– Para as pessoas que acreditam no sonho: acreditem!

O programa foi ao ar no dia 8 de agosto de 2006. Um dia para jamais esquecer!

* * *

A primeira coisa que fiz com o dinheiro do prêmio foi ir ao Registro de Marcas e Patentes registrar o nome do projeto. Para minha mãe dei de presente uma máquina de lavar, e para meu pai, dinheiro para reformar a casa. Guardei grande parte na poupança para poder ir investindo aos poucos. Comprei um computador, uma impressora e uma câmera digital, e criei o blog Ler é 10 – Leia favela para poder divulgar meu trabalho na internet. Eu não imaginava que o mundo virtual levaria o projeto tão longe.

8
DORMINDO COM LYGIA BOJUNGA, RUTH ROCHA E ZIRALDO

Por dois anos, tive de dormir no meio de meus livros. Eram pilhas que ficavam em volta de minha cama inteira. Quantas noites dormi em companhia de Lygia Bojunga, Machado de Assis, Pedro Bandeira, Ruth Rocha, Ziraldo, Ana Maria Machado e muitos outros escritores. Ainda bem que a minha casa cresceu. Agora tenho um quarto só meu. Hoje os livros são do projeto. Quando alguma criança bate em casa, tenho o maior prazer em emprestar os livros. O projeto Ler é 10 – Leia favela também cresceu.

Eu 2008 mudei para minha própria casa. Uma casa bem modesta, que fica na mesma vila, no Morro do Caracol, a poucos metros da casa de meus pais. Os livros agora estão divididos entre as duas casas. Fiz questão de guardar alguns dos meus xodós:

Eu, de Augusto dos Anjos, uma edição comemorativa de cinquenta anos da obra (1912-1962), da Livraria São José.

Antologia poética, de Cecília Meireles, exemplar 720 de uma edição numerada.

O cortiço, de Aluísio Azevedo.

Vidas secas, de Graciliano Ramos.

Cidade partida, de Zuenir Ventura.

Marcelo, Martelo, Marmelo e outras histórias, de Ruth Rocha.

Flicts, de Ziraldo.

Um homem no sótão, de Ricardo Azevedo. Um parêntesis: conheci o Ricardo em 2007. Um cara sensacional! Foi esse livro que me incentivou a escrever poesia também. Fecha o parêntesis.

Magitrônica, de Edy Lima.

Raul de ferrugem azul, de Ana Maria Machado.

A bolsa amarela, de Lygia Bojunga.

Tenho também livros espalhados em vários espaços nos Complexos da Penha e do Alemão. Mandei fazer estantes, comprei pufes coloridos e criei os acervos ambulantes. Pago um carro para levá-los pelas comunidades. Esses livros vão sendo trocados. No começo, eu sentia um aperto no coração de ficar longe dos meus livros. Mas outras crianças precisam bem mais deles do que eu. Hoje lido melhor com o meu ciúme dos livros.

9
GUERREIRO
DA LITERATURA

Acordei bem cedo para comprar a edição de *O Globo* e ver o resultado do Prêmio Faz Diferença. Era dia 20 de dezembro de 2008. E lá estava eu. Ganhei meu presente de Natal cinco dias antes. Fui um dos 15 brasileiros que faziam diferença naquilo em que atuavam. Fui escolhido na categoria jovem. A entrega foi feita em 25 de março de 2009. Mal dormi naquela noite. *O Globo* mandou um carro me pegar em casa. Estava de terno cinza, camisa azul-clara e gravata vermelha. Ganhei o terno de presente do Instituto Kinder. Lembro de uma vizinha comentar que eu estava parecendo jogador de futebol. Cortei o cabelo, passei pela manicure. De repente, ao entrar no salão do Copacabana Palace, eu me vi ao lado do ex-presidente Fernando Henrique Cardoso (que foi receber o prêmio em nome de sua mulher, Ruth Cardoso, falecida em 24 de junho de 2008) e dos então governadores José Serra e Aécio Neves. Também estavam lá o escritor Cristovão Tezza, autor do premiadíssimo *O filho eterno*, e a atleta Maureen Maggi, medalha de ouro no salto em distância na Olimpíada de 2008. Finalmente, meu nome foi anunciado:

Os Complexos do Alemão e da Penha ganharam, há cinco anos, um guerreiro da literatura. Ele apresentou o mundo das letras para 5 mil crianças da comunidade. Em parceria com 11 ONGs, já construiu uma biblioteca de 3 mil livros.

A plateia me aplaudiu. Minha mãe disse que foram três minutos de aplausos. Recebi o troféu das mãos de dois editores do jornal, Valquíria Daher e Jason Vogel. Foi como se eu não tivesse acordado naquele dia.

10
ONDE ESTARÁ
DON GATÓN?

Meu pai largou a bebida depois de alguns anos de sofrimento. Está trabalhando como pedreiro. É uma profissão que requer muito cuidado e atenção. Ele é ao mesmo tempo engenheiro, arquiteto e projetista. Minha mãe continua prestando serviço num condomínio aqui perto do nosso bairro. Sempre que encontra um jornal ou uma revista jogada fora ela traz para mim. Minha irmã vai se formar em Pedagogia em 2013. Ela dá aulas na escola bíblica da igreja. Depois de seis anos, voltei a estudar e completei o ensino médio – e a faculdade me aguarda. Os livros já me possibilitaram conhecer alguns países. Fui a eventos literários em Cuba, na Argentina, no Chile, na Colômbia. Tenho planos de fazer faculdade de Pedagogia e também Propaganda e Marketing.

Apesar de todas as dificuldades, vou tocando os meus projetos literários. E ainda estou cheio de outras ideias. Quero criar brinquedotecas e espaços de leitura nas comunidades. Estou desenvolvendo também o "Barracoteca". Vou doar quarenta livros para quem quiser desenvolver projetos ligados à leitura em comunidades carentes como a minha.

Fala-se muito do baixo índice de leitura do povo brasileiro e até vejo esforços para aumentar esse índice. Mas posso dizer que ainda é pouco. Não entendo por que alguns profissionais do meio editorial não abraçam essa causa. Ao formarem novos leitores, manterão a cadeia editorial funcionando por muitos anos mais. Existe uma classe excluída, social e culturalmente, pela sociedade. São povos que vivem nos guetos das grandes cidades. Muitos deles leitores adormecidos, sem acesso a saneamento básico, educação, ensino profissionalizante e cultura. Um futuro de igualdade só existirá quando todos tiverem acesso à informação e à cultura. Uma criança que pega amor pelos livros aos oito anos será um grande leitor pelo resto da vida.

Muitas crianças que convivem comigo reclamam da falta de oportunidades. Desistem de frequentar uma sala de aula e se sentem discriminadas por causa disso. Começam a dizer que a única chance de vencer na vida será vendendo drogas. Não querem ser bandidos, querem uma vida melhor. Essa é a minha realidade. Realidade que mudei quando encontrei um livro em meio ao lixo. A minha única tristeza é não ter guardado o exemplar de *Don Gatón*, o livro que deu início a toda a minha história. Há algum tempo separei uma caixa de livros para doação. No meio da bagunça, minha mãe pegou outros que estavam ali por perto e *Don Gatón* foi embora. Será que *Don Gatón* voltou ao lixo?

Se eu pudesse escolher, gostaria de vê-lo agora nas mãos de um garoto que também estivesse descobrindo a leitura.

EPÍLOGO:
A LIBERTAÇÃO

Estava em casa pensando no projeto deste livro quando os primeiros tiros foram disparados. No começo, o barulho vinha de longe, mas a intensidade foi mostrando que eles ficavam cada vez mais próximos de meus ouvidos. Já não conseguia mais me concentrar no trabalho. Era quinta-feira, dia 25 de novembro de 2010. Acompanhava tudo pela TV, e a sensação era de que um programador maluco tinha resolvido exibir *Tropa de elite* na Sessão da Tarde, e com direito a imagem em 3D. Sonho? Delírio? Não, a mais pura realidade. Tudo estava acontecendo ali na porta de casa. Armas, soldados, tanques subindo as ladeiras, tudo isso fazia parte de meu campo de visão. O noticiário da televisão recomendava que ninguém saísse de casa. Foi o que fiz. Dois dias de angústia. Dois dias de medo. Dois dias sem colocar o pé para fora, racionando o que tínhamos na geladeira. As janelas permaneceram fechadas o tempo todo. Até mesmo passar em frente à janela poderia ser perigoso, e o banheiro se tornou o lugar mais seguro da casa. Era difícil dormir numa situação assim.

O meu filho, de dois anos e meio, reconhecia o barulho dos tiros e perguntava sobre os helicópteros que estavam sobre as nossas cabeças ("Avião grande, papai!" – ele só conhecia os aviões e helicópteros de brinquedo). Pode parecer exagero para quem só acompanhou de longe, mas eu me senti na Guerra do Iraque nesses dois longos dias. Só quem vive uma guerra sabe o que ela é. Pela televisão também vi os blindados da Marinha chegando à favela. Esse foi o fator surpresa que intimidou e surpreendeu os criminosos.

No caso de uma invasão da polícia à minha casa, eu teria que explicar qual era o meu trabalho, já que muitas pessoas não entendem o que eu faço. Tenho computador, impressora, leitor digital – equipamentos que, para muitos, um trabalhador honesto da comunidade jamais teria condições de comprar. Puro preconceito que está presente em nossa vida no Complexo da Penha e do Alemão. Deixei os recortes de jornal com reportagens a meu respeito em cima de tudo. Foi a forma que encontrei para me proteger.

Até que veio 28 de novembro, data que foi chamada de "O dia da libertação". Pela TV, logo que o dia amanheceu, pudemos ver que a resistência dos traficantes tinha chegado ao fim. Sentiram que a guerra estava perdida e saíram em retirada. No final da tarde, o Complexo do Alemão estava totalmente sob o controle do Bope, das Forças Armadas e das Polícias Civil, Militar e Federal. As bandeiras do Brasil e do Estado do Rio de Janeiro foram hasteadas no alto do teleférico do Morro do Alemão. Era o símbolo da retomada do conjunto de favelas.

Saí de casa apenas na tarde de domingo. Andei por algumas ruas das redondezas. Avistei carcaças de carros incendiados, cápsulas de bala no chão, motos abandonadas. O menino sonhador, que venceu tantas batalhas na vida, caminhava por esse cenário em busca de novas doses de esperança.

Mas será que a guerra foi mesmo vencida? Como será a vida a partir de agora em uma das maiores favelas do Rio de Janeiro? Voltaremos a conjugar verbos como trabalhar, estudar, ajudar, amar? Escrevo isso apenas um dia depois da tomada do Alemão. Em lugar do alívio, tenho dúvidas. Como mostrar agora para esses jovens que vivem aliciados pelo crime organizado, que passam o dia desocupados, que se sentem excluídos pela sociedade, que há esperança de mudanças na vida de todos? Como abrir os olhos para que eles não se iludam mais com o glamour do poder paralelo?

Talvez a resposta esteja nos livros.